KB076598

겨울의 편린

ModernBooks

겨울의 편린

발 행 | 2024년 01월 25일
저 자 | 김유리, 박지해, 박초롱, 네모
펴낸이 | 박강산
펴낸곳 | 모던북스
출판사등록 | 2022.10.27.(제2022-144호)
주 소 | 서울특별시 동작구 현충로 220
이메일 | modernbooks_official@naver.com
ISBN | 979-11-93445-08-2

https://modernbooks.co.kr

들어가며

    『겨울의 편린』에는 모던북스의 <작가가 되는 시간>을 통해 발굴한 네 명의 신인 시인들의 작품이 수록되어 있습니다.

    네 명의 시인들은 각자의 겨울을 노래합니다. 시는 사라짐의 경이로움(「사라짐 포트폴리오」)이라는 삶의 아이러니와 서늘해진 사람의 해묵은 이불(「'왜'하고 허공에 놓여서」)을 버리지 못하는 마음과 닮아있지요. 내 마음의 폐허와 무관하게 너무나 아름다운 세상을 바라볼 때 참혹해지는 심정을 우리는 모두 겪어본 적 있지 않나요. 지금 이 책에서는 이러한 순간을 '겨울'이라 명명하고 있습니다. 그러나 길고 혹독한 추위의 계절일지라도 겨울은 겨울이어서 환기되는 낭만도 분명히 존재합니다. 따뜻한 차에서 피어오르는 김, 갓 구워낸 붕어빵, 새콤한 귤 같은 것들을 낭만의 테두리에 밀어 넣어도 괜찮을까요. 겨울은 얼마나 많은 얼굴을 가졌나 새삼 놀랍습니다. 따스함을 전달할 수 있어(「빨강에게」) 입가의 완벽한 호선(「별똥별」)을 그리게 만드는 추억을 이 책의 시와 함께 떠올려 보시면 좋겠습니다. 어떤 문장에서는 너무나 눈이 부셔(「눈맞춤」) 오래 머무르게 될 것입니다.

겨울의 다양한 조각들을 발견하실 당신에게

이 시집을 추천합니다.

차   례

김유리   **밤의 거울** 外 9편   *6*

박지해   **재주의 취미** 外 9편   *26*

박초롱   **별똥별** 外 9편   *44*

                                   .

네 모   **눈길** 外 11편   *56*

김
유
리

    시를 쓰기 위해서는 인간의 마음을 찬찬히 들여다보는 과정이 필요했습니다.

    인간이 삶을 살아가는, 삶을 살아내는 그 다양한 과정에서 느끼는 수많은 감정들은 인간을 심연의 밑바닥으로 내던지기도 하고, 빛나는 희열의 순간을 통해 우주를 날아가게 하기도 합니다.

    그리고 이러한 것들이 모두 모여 하나의 인간을 만들고, 그 과정을 통해 삶을 버텨낼 수 있는 단단한 마음을 만들어진다고 생각합니다. 그래서 저는 이러한 과정을 통찰하는 글을 쓰고 싶었습니다.

    결국 시를 쓴다는 것은 언어를 조각하여 인간의 마음을 어루만지며 빚어내는 과정인 것 같습니다.

    지금은 함께 살아가야 하는 시대라고 생각합니다. 글을 통해 이 시대를 걸어가는 이들과 함께 마음을 나누고 싶습니다.

두 개의 달

조용하게 흘러나오는 라디오
창문을 내려 흠뻑 적셔본 밤 내음
힐끗 바라 본 백미러 속 낯선 모습

끝이 보이지 않는 빌딩 숲과
구색을 갖춘 플라타너스,
알 수 없는 표정의 사람들과
옅어가는 신록의 시간들

나아가던 차는 이내
우리의 교차로에 멈추어 섰다.

차가운 달빛이 손등에 와락 쏟아진다

찰나,

가슴 저릿한 김광석의 기타 멜로디
영원의 끝자락 같던 불투명한 공기
어둠 속 반짝이는 11시 59분

뒤를 돌아보았을까

위를 올려다보았을까

떠오르는 달과 저무는 달

빙하의 눈물

떠밀리듯 사막 한가운데 내몰아진
어미 순록의 눈물인가

작열하는 뙤약볕 속에서
설핏 보였던 빙하의 비밀
순록을 품기에는 거대했던
태초의 오아시스

쫓아올 듯 도망치듯
무엇을 좇아가는지

숨을 고르고 털어 넣는 타이레놀 두 알

아뿔싸,
순록의 새끼가 도망치고 있다
그래 너도 살고 싶구나

바짝 따라 붙는 빙하의 그림자

새끼는 끝내 모른다
빙하가 녹으면 물이 된다는 걸

탄내 나는 가을

눈치 없이 검붉은 단풍.
빛나던 가을 햇살에 오늘 너는 바스라졌다

얼굴은 보이지 않는데, 네 이름은 뚜렷이 보인다. 무표정한
얼굴과 검은색의 물결들 중 나는 어디에도 속하지 못한 채 너의
불씨를 태운다.
새하얀 손수건에서 피눈물이 떨어지고, 유리창에는 삶의 그을
음이 묻어난다. 깨끗한 당신은 이제 어디에도 없다.
차가운 대리석 바닥과 둔탁한 기계 소리. 따뜻한 당신은 이제
어디에도 없다.

낙엽의 불씨처럼 꺼져가는 시간, 타들어가는 청춘의 내음
나와 너의 가을도 바스라졌다.

홈그라운드

서부동 굽어져 들어가는 그 골목길 오른쪽 두 번째 파란 대문. 마당에서 올려다보면 옆집 혜정이네가 손닿을 듯 가까웠고, 소녀는 종종 혜정이의 이름을 불렀어. 매미 소리가 쩌렁쩌렁한 날엔 반짝이는 물놀이를 하며 마당을 노닐었지. 가끔은 골목 끝 감 나무 집 개구멍으로 몰래 들어가 연못의 토실한 잉어를 구경하기도 했고, 반질반질한 감을 두어개 따 나누어먹고 씨를 어디론가 튀튀 뱉기도 했지. 그 때의 하늘은 참 달짝지근했고.

골목 어귀엔 공중전화가 있었어. 언젠가부터 비밀이 생긴 소녀는 짤랑짤랑 동전을 준비해 어스름한 시간에 그 곳으로 달려가곤 했지. 거기서 한참 웃기도 하고 울기도 했나봐. 그랬나봐.

세상의 전부 같던 골목길이 이제
소녀에게 몇 걸음 되지 않을 때 즈음
서부동 골목길은 낯선 대문들로 가득해졌지.
어느 문을 두드려도 혜정이와 잉어는 나오지 않아.

그래도
파란 대문의 일기장은 소녀의 마당에 심겨져 있어

골목길 자박한 소리, 동전 소리가
아직도 소녀의 눈빛에 묻어나온대.
달짝지근한 하늘 맛도 가끔은 느낄 수 있나봐

나만의 골목길이 있는 사람은 그렇대
소녀처럼.

낙하물

가벼운 것일수록 한없이 무겁게 떨어진다.
그 곳에서는.

무거운 것일수록 하늘을 향해 솟아오른다.
그 곳에서는.

저울은 누가 만드는 걸까.
어깨의 무게. 장갑의 무게. 철근의 무게.
자동차의 무게. 시계의 무게. 뺏지의 무게.

무게를 나눠줄 수 없는 그 곳.

세상 높은 곳에 올라가 내지른 가벼운 이의 외침은
무거운 독수리가 삼켜버린 지 오래.
무거운 네모에는 무거운 소리가 독버섯처럼 짓눌러
가벼움 따위는 결코 고개를 들 수 없다.

무거운 태양이 내리쬐는 잿빛 찬란한 숲은
가벼움의 먼지를 빨아들이고
빛나는 무거움의 꽃잎을 나부껴댄다

모두 알지만 모두가 모르는
가벼운 자와 무거운 자의
같은 무게

여전히 오늘도 가장 무겁게 추락하는 것은
가벼움.

낙화가 수북히 깔리는
그 곳. 그 이상한 곳.

달이 없는 육신

그믐달도 뜨지 않던 날, 밤의 육신은 하얗게 세었다.

목구멍은 녹아 쇳소리도 낼 수 없고, 분칠한 눈가에는 뜨거운 고드름이 맺힌다. 뼈마디는 허옇게 바스라지고, 곪아터진 냉동고에서 흘러나온 냉기가 침묵의 방바닥을 뒤덮는다.

새빨간 심장은 하나이기에 더 이상 이곳엔 달빛이 닿지 않는다.

온몸 구석구석 뜨거운 열꽃이 피던
만월의 순간이 언제였던가.
아스라이 남은 붉은 달밤의 자리.

스러져가는 눈덩이로는
중력을 이길 수 없으니
너의 달까지 닿지 않을 터.
시뻘게진 손바닥으로도 달을 데울 수 없겠지.

달이 없는 밤은
낮도 찾아오지 않고
육신은 이내 달의 무덤에 매장 당한다.

검은 서리 낀 아침,
긴 겨울밤이 시작되었다.

사라짐 포트폴리오

사라진 알고리즘. 사라진 꿀벌. 사라진 아기.
사라진 길. 사라진 여권. 사라진 시간.
사라진 체면. 사라진 설득. 사라진 대화.

지운 것인지 지워진 것인지
기억은 더 이상 저장되지 않고
중요한 것은 반드시 멸실되고야 마는
사라짐의 미스터리

사라짐이 가득한 세상은
순간의 쾌락만 넘실대고
잊혀지지 않으려면
내가 먼저 잊어야 하는 기묘한 아이러니

지우고 싶은 검은 사진은 절대 삭제되지 않고
별표 친 택배상자는 도착하기도 전에 파손되기 일쑤

사라짐의 경이로운 기록은
그라운드 제로에서 정점을 찍지.
누구나 사라지는 존재

무엇이든 사라지는 세상

unrecoverable error_

쉼표의 조각

마른 일상에 촉촉한 클래식을 붓고
시끄러운 퇴근길에는 커피를 감상해보자
두통이 심할 때는 여유 한 알과
사람이 고플 때는 햇빛 한 움큼이면 되겠지

아무것도 아닌 날에는
아무것도 아닌 것이 되고
아무것이 된 날에는
영혼의 숨구멍을 열어야 한다.

조각들로 구멍을 도려내어
삶의 생기를 돋워 내야지
만들어진 구멍에 얼굴을 들이밀고
들숨과 날숨을 쉬어보자

조각을 땔감 삼아 빚어낸 비너스 상 발가락 사이에도
숨겨두어야 한다.

누구나 감춰둔
조각들이 있다.

있어야 한다.
있어야 산다.

순환

우산이 필요 없는 장마
비를 맞아야 진물이 씻겨 내려가거든.

시커멓게 불어난 개천 둑방길에 돗자리를 깔고
떠내려가는 응어리를 구경해보자

흘러가는 물길은 거스르지 않고 태평양에 닿아
구름이 되고 다시 여름이 될 거야

상처는 숙명이지만
만들어진 물길은 흔적이 남지
침전된 응어리가 암석이 되어야
여름 따위를 새겨 넣을 수 있을 거야

발바닥에 밟히는
폭우 속의 이끼와 같이.

여름은 내린다.

다시 여름이 내린다.

밤의 거울

밤을 걷는 사람이 보이거든
거울을 건네주세요.

새벽달을 꺼내어 언 몸을 녹이고
하염없는 밤의 이야기를 담아
우주에 날려 버릴 수 있게요

표정이 사라진 밤의 눈빛을 비추어
저 무한한 밤의 끝에 도달한다면
다시 걸어갈 테니까요

걷고 있는 이 밤 어느 구석에도
별빛 부스러기 하나 없다면
어둠 따위는 투명하게 반사해버리고
유성이 글썽거리는 눈동자를 보듬어
밤의 불꽃을 강 위에 띄워주세요

그림자를 팔지 않고도
밤을 걸어갈 수 있도록

밤을 걷는 사람이 보이거든
거울을 건네주세요.

박
지
해

길을 걷다 보면 얼굴을 스치는 바람이 막연하게 좋다가도 슬픈 순간이 있잖아요. 딱 그런 날이었습니다. 향기로웠던 것도 같고요.

아! 다음 문장에서 걷고 있는 길은 앞서 '좋다가 슬픔'을 느낀 길과 이어집니다.

그렇게 길을 걷고 있어요. 오래간만에 친구와 연락이 닿아 약속 장소로 향하고 있습니다.

골반쯤 걸친 손가락이 어색해서 주머니에 손을 넣었는데 휴지 조각이 만져졌습니다. 걷는 내내 손가락으로 그 휴지 조각을 만지작거리는데 갑자기, 그 친구와 어떤 이야기를 나누면 좋을지, 여전히 샹송을 좋아하고 즐겨 듣는지, 매년 쓰다만 일기장을 버리지 못하고 쌓아 두는 것도 그대로인지, 마지막으로 연락했던 것이 언제였더라, 어색한 채로 2~3시간을 견뎌야 하는 것은 아닐까... 괜한 걱정이 들더라고요.

하필 그날은 걷고 싶었던 탓에 굳이 도착지까지 우회하는 경로를 선택했습니다.

그래서일까요. 때마침 수많은 걱정거리가 머리를 에워쌌습니다. 꽤 오랜 시간을 걷고 있었거든요.

휴지 조각은 별다를 것 없이 주머니에 있었을 뿐인데 손가락은 분주했고, 그만큼 심상은 더 복잡해졌습니다.

우리는 다소 투박한 카페에서 만났습니다. 그리고 따뜻한 커피 2잔을 주문했어요.

친구는 펑퍼짐한 인형이 경쾌하게 달린 천가방을 메고 왔는데, 익숙한 모양새였어요.

길거리에서 흔히 보고 지나쳤던 디자인이거나, 아마도 대학가 근처 잡화점 같은 데에서 누군가 권했을지도 모를 것이기도 하고요.

뭐, 개의치 않았지만.

친구와의 시간은 어땠냐고요? 무슨 이야기를 나누었냐고요?

그런 날을 시로 써 보고자 했습니다.

하얀 채무자

붉은 뺨, 흐드러진 실핏줄
아래 턱으로 이어지는 손끝
봉긋한 자국을
만지작거리다 떠올랐다

이듬해 여름
발정 난 고양이를 따라
집을 나간 네가

창 사이 뜯긴 그물을 헤집고
승보를 앞세워 돌아올 때

내 오른팔 중턱
팔꿈치 능선에도 흉이 졌다

무릎을 접고
허기진 목소리로
빼쪽한 귀를 꿈벅이는
고씨의 키 작은 생아

나의 온몸이 긁혀도 괜찮다
네 운명선을 긋는 것으로
빈집을 빛내 하염없이 있어라

가장 도드라진 흙에 고씨 이름을 새겼다

절기의 번호표

아버지 기일은
대지의 발구름달 초아흐레

어머니 냄새는 그로부터
열이틀째쯤 사라졌다

망종의 그 날
싹이 날 알갱이로
점점이 찍힌 숫자만큼
엄격한 폭으로 줄 선 사람들
달팽이
'그' 여자
지렁이
포메라니언
북극곰 형제
익사한 물고기

"순서를 지켜주세요.
젖은 번호를 밟고 있는
나도 배고픈 사람입니다."

수억 광년 떨어진 별이 터지지 않는 동안
알갱이를 잡아 먹은 '그' 여자가 농익었다

그녀가 복분자 같은 가슴을 달고 허기를 채웠을 때,
어머니는 빨갛게 여문 젖꼭지를 물었다

'왜'하고 허공에 놓여서

하루가 서늘해진 사람은
해묵은 이불을 세탁기에 집어넣다 울었다

짓무른 손은 옴팍하게 모양을 냈고
상추 쌈을 올릴 때도 울었다

지난해 삭힌 된장에 흰곰팡이가 폈다

사람은 백회혈이 찌릿할 때면
헛기침을 했다

버드나무 색 머리
몰래 빗은 콧망울
목소리에 묻은 살바람
발밤발밤 마중 나온 뒷모습

찬기 드는 주머니를 기웠다
벙거지 모자를 샀다
종기를 걷어낸 아빠를 샀다

폐

새로 산 보온병을 떨어뜨리고
나는 아무렇지 않았다

검정색 스테인리스가
데구르르 점과 선으로 마찰음을
낼 때 마음에
홀연히 일었던 문장이 식었다

기역자로 꺾인 채 여닫은
얼어붙은 4월,이라는 안내문

책방이 쉬는 날에는
글자도 바람을 폈다

날개가 퍼덕인 냄새
해체된 암회색 파편
먼지에 처박힌 버터쿠키
생강젤리 눌러 붙은 착란, 찬란이거나

봄은 기우는데

다음 계절의 아지랑이가
피어나지 못했다

나의 폐.허에 머리만 남았다

조각을 가졌다

머리 박고 죽은 사람이 있다

시리게 번쩍하는 너머, 그 너머에 평온을 넘어

피투성이 발로 가늠이 되지 않는 밑줄을 긋고

수신인을 지우고 피어난 자의 앞머리를 가다듬으며

Da pacem 누구의 음표도 아닌,

멀쩡한 책상 한편에 피읖으로 쓰인 장면들을 밀어 놓았다

어떤 밤 Ⅰ

낯선 이가 남긴 지문을 밟고 선 무수한 밤이

소리 없이 죽어 있는

어쩌면 이름 없는 거인의 외발이 치덕거리고 있을

낮을 잃은 밤

일체의 활자가 깨어날지도 모를 그 밤,

외팔의, 이름도 외자인 악필의 그가 경적을 울린다

귀를 기울이던 어둠 속에서 단 하나의 음절만이 외팔의 펜 끝
에 앉았다

어떤 밤 Ⅱ

사선의 여자가 내려놓은 책은

트램이 이탈했다는 문장으로 시작한다.

눈을 가린 남자는 철로를 따라 왈츠를 췄다.

혀의 돌기 마냥 솟아 있는 도로에 검은 꽃이 떨어졌다.

닿는 곳마다 멍이 든 왈츠는 물 같은 피를 흘렸다.

밤은 턱을 괴었다.

남자의 발끝을 따라 여자를 깁고

검은 꽃 하나를 가져다 숨을 둘렀다.

뒷문이 열렸다.

말갛게 벌어진 틈에서 두 번째 장이 내렸다.

피멍이 들었던 날의 이야기다.

재즈라고 부르고 싶은 것들

금발의 앨리스가
재에 즈으 할 때
입술 너비의 중앙쯤
숨구멍이 피어났어

달콤한 구멍을 들여다보는
일은 어렵지 않아

앨리스는 눈물 웅덩이에
발을 걸치고 노래를 불렀지

플라스틱으로 지은 5성급 호텔에서 난로를 지펴, 귀신고래의
아가미를 흙 속에 박고 홍학의 다리로 기도문을 쓰는, '참을 수
없는'에 밑줄을 긋고 한쪽 눈을 찌르는. 플라스틱으로 지은 5성
급 호텔에서 난로를 지펴, 귀신고래의 아가미를 흙 속에 박고
홍학의 다리로 기도문을 쓰는, '참을 수 없는'에 밑줄을 긋고 한
쪽 눈을 찌르는

재에 즈으 할 때
엘리스 스프링스에서는

재즈를 먹고 빨개진
숨구멍이 피어났지

노래는 멈추지 않았어

금발의 앨리스는
재즈를 먹고 빨개진
꿈에서 깨어날 수 없었거든

재주의 취미

재주는 서리낀 창문 모서리를
닦아 내는 버릇이 있다
물방울이 미끄러진다

흠, 하고 웃는 법이 모자라
단내가 나는 여자를 만지작거린다

재주는 몇 없는 말을 할 때
심장에 폭설이 내려 숨이 멎으면 좋겠다는 생각을 한다
밤이 넘어진 터널을 지날 때 엑셀을 밟는다

재주의 입술에서 모빌의 그림자 같은
강아지풀이 자라나는데 그의 것으로
남겨 놓은 일부를 두고 얼마나를
내 손가락에 둘러야 하는지

나는 재주의 것이 되고 싶어서
그가 음 하고 숨을 들이쉬면 혀끝에 파고를 가다듬는데
재주는 손가락을 튕겨 애꿎은 강아지풀의 목젖을 치고 만다

푸른발부비새

청록의 발이 찧은 언어가

숨죽인 채, 바다의 겨울에 놓였다

날갯짓이 여문 바다는 다음 계절을 삼키고

바다는 계절의 이파리가

가장 아름다운 받침으로

무성해질 때까지 출렁이고 있다

녹슨 목소리가

뒤집은 고래의 배처럼

미지근한 포물선을 그리며 부서졌다

청록의 발이 닿은 곳에

그림자를 숨기지 않는 항성

한 번도 잠든 적 없던 은하가 피어났다

박
초
롱

내가 힘들 때 위로받았던 시를 창작할 수 있어서 매우 기뻤고, 무언가 적어 내려가는 게 쉽지 않은 일이지만 생각만 하지 않고 시도한 나를 보며 다시 한번 나에 대한 확신을 가지는 뜻깊은 순간이었습니다.

별똥별

점을 찍었다
수백수천개의 점들을
그중에 가장 마음에 드는
점을 골라
오케스트라 지휘자의
지휘봉 같은 흔적
품에서 꺼내자
마침내 보이는 흰색
떨어지는 선의 궤도는
우주의 먼지가 불타는 현상
찰나의 순간 떠오르는 소망
가슴에 불타는 사선이 그어진다
입가엔 완벽한 호선이 그려진다

사소한 것에 대하여

내 방엔 온갖 종류의 새들이

날카로운 부리 옹기종기 모여서 떠드느라

소음이 가득해

그럴 때면 물결무늬로 바느질 된 침대 옆

우뚝 솟은 백열등 조명을 켜

켜자마자 들리는 두툼한 손바닥 이마 때리는 소리에

놀란 새들이 다 날아가 버려

갑자기 생긴 순간의 틈 사이로

달콤한 향이 물밀듯이 밀려와

사탕처럼 혀 베일 듯이 날선 달콤함이 아닌

초콜릿처럼 부드럽게 온몸으로 스며드는 그런 달달함 같은 것

말이야

어디서 단내를 맡았는지

다시 새들이 몰려와

단맛에 취해서

더 이상 소음이 들리지 않아

한동안 백열전구 조명도

이마 때리는 소리도 필요 없어

빨강에게

너를 처음 보았을 때
눈을 가득 채운 강렬한 빨강에 매료되었지
생명력 가득한 머리칼과
지독한 점들은
흘러가는 물 같아 잡아 둘 수가 없었지

바람처럼 휘몰아치듯 재잘 거리는 너의 상상력
때문에 집을 홀랑 태울 뻔해서 눈물 쏙 빠지게 혼쭐나더라도
언제 울었냐는 듯 천진난만하게 다시 웃게 되는 그런 빨간
반쯤 수평선에 잠겨 마지막 빛을 내는 빨강
햇빛에 생성된 피부에 까만 점이 되기 전 빨간
말간 얼굴에 한껏 휘어지게 그려지는 붉은 초승달 같은 빨강
누구에게나 따스함을 전달할 수 있는 너의 불꽃
마음을 지피기 충분한
언제든지 타오르는 사랑스러운 너

붉은 달

가장 완전한 도형이
전깃줄에 걸렸다
정열의 색 온몸에 휘감아
이 밤의 주인공이 된 너
퇴근길 누구라도
쳐다보지 않고는 못 배길
모두의 시선을 집중시킨 얼굴 하나
사진을 찍고 손가락으로 가리키기도 하고
떴다고 소문도 나고
오늘의 연예인을 본 소감은
마냥 휘어진 눈썹이다

천둥

처음엔 북 찢어질 듯 들리는
첫 울림
뒤이어 사물놀이 패 신명 나게 놀고 나면
땀방울이 후두둑 떨어진다
엄청난 작품을 감상한 듯
심장 박동 수가 올라간다
끝나지 않은 장단
검은 옷을 입은 사람들이 빠르게 지나간다
머리에 질끈 묶은 흰색 긴 머리띠가
얼굴을 때린다
어느 정도 예상된 고통에 몸을 잔뜩 움츠린다
끝날 듯 끝나지 않는 공연
자리에서 일어날 수가 없다
우레와 같은 박수소리도 없고
함성소리도 없다

낙서

목에 걸린 가시 빼내고자
다른 가시 찾아 삼키고
겨울철 날씨 변덕에 생긴 발끝
고드름도 제거할 생각 없이
눈물도 좀 뭉치고
한숨도 좀 굴리고
바닥도 좀 던지고
바짓단에 붙은 먼지 소중히 하며
기지개를 켠다

파도

많은 사람들 발자국 한가운데 서있다
울렁이는 곡선들
보기만 해도 멀미가 난다
한숨을 토하고 바람을 먹는다
하얀 손뼉 소리에
온몸에 파랑이 칠해진다
부서진 곡선
그 파편들이 칼날처럼 가슴에 박힌다
상처 속에서 흘러나오는 유리알들이
저 수평선 너머로 술렁이며 떠나간다

유채꽃

구름 한 점 없는 청명한 하늘
눈이 부셔 게슴츠레 뜬 눈으로도 보이는 노랑의 향연
바람에 나부끼는 노란 옷을 입은 아이들의 합창소리는
얼굴을 하회탈로 만들기 십상
눈과 귀를 즐겁게 해주는 열띤 공연에 배가 부르다

신생아

땀을 뻘뻘 흘리며 밥을 먹고 트림을 한다
앞이 잘 보이지 않는 흑진주 같은 눈은
집중을 잘하고 울지 않는다
등껍질이 뒤집힌 거북이같이 버둥거린다
본능적인 움직임
아무도 가르쳐 주지 않은 생존을 찌푸린 표정으로 삼킨다
삶이 이토록 치열한 것임을 그를 통해 본다
내 얼굴에 금이 간다

진달래

속없이 마알간 네 얼굴 멍청해
한 대 쥐어박고 싶은 어린 동생 같은 너
흰 얼굴에 분홍색 킹캉치마 둘러 입은 네 모습
지금은 어울리지 않아
하루하루 변덕스러운 마음 가진 네 친구 덕분에
목이 아프다

궁금해
무슨 생각으로 온 마음 다해
예쁜 얼굴 피었는지
얼어붙은 세상에
몸은 점점 움츠러드는데
한 번도 상처받지 않은 것처럼
맑은 얼굴 공기 중에 흩뿌려질 순간까지
그렇게 최선인지
멍청해 이 순간에도 해맑은 웃음 짓는 너

네

모

작년 여름 처음으로 제 어설픈 시를 봐주신 기성작가님의 협업 제안으로 공저 시집을 발간해보았습니다. 시는 대단한 사람만 쓴다고 생각한 저에게 용기를 주었던 첫 출간이었지요. 이후 산문쓰기를 열심히 하며, 중간중간 시를 쓰며 제 정서를 돌아보는 시간을 가졌습니다.

시는 은유와 상징이 묘미일텐데 아직 많이 부족합니다. 더 많이 읽고 더 열심히 습작해야겠지요. 이번 시 창작 강의를 수강하며 아직 제게는 제대로 된 시를 쓰려면 많은 연습이 필요함을 깨달았습니다. 연과 행을 구분하던 시의 형태만 기억하는 나에게 이번 시 창작 수업을 들으며 고정관념을 깨는 계기가 되었습니다.

아직은 시의 은유와 상징이 어렵기만 한 저와 달리 역량 있는 동료 수강생분들의 시를 감상하는 순간은 언제나 가슴 설레는 순간이었습니다. 그 와중에 제 부족한 시를 나누는 일은 참 부끄러운 일이었지만 말이지요. 시를 쓰면 글쓰기가 한층 더 성장하는 느낌입니다. 비록 완벽한 상징성과 은유를 담아낼 순 없지만 시를 쓰는 과정에서 끊임없이 시어들을 발굴하고 시구를 구상하며 죽어있는 뇌세포를 깨울 수 있으니까요.

　제 부끄러운 시들로 다른 공저자들의 숭고한 창작 활동에 누를 끼치는 건 아닐지 걱정이 앞서지만, 뒤쳐지는 사람도 함께 챙겨갈 수 있는 따뜻한 세상이면 좋겠습니다. 모쪼록 동료 창작자분들의 빛나는 시작(詩作)활동을 응원하며, 부족한 저에게도 기회주신 모던북스 박강산 대표님을 비롯한 출판 관계자 여러분께도 진심으로 감사드립니다.

말줄임표

습관이다
무슨 아쉬움이 남아서
얼마나 더 남은 이야기가 많아서
끝을 맺지 못하는 걸까

빈약하다
글이든 말이든
끝을 맺지 못하고
입속에 지면에 남은 이야기들

한 마디로
한 문장으로
정의하기 힘든
내 인생만큼이나
쉬이 고치지 못하는
......

눈맞춤

어, 이럴수가!
눈이 부셔
고개를 들어보니
태양이 일몰을
준비하러 가는 길에
눈맞춤을 했다
구름 속에서
조용하지만 강한 몸짓으로
자신을 온전히 드러냈다

날이 좋아 발길 닿던
백 년도 더 된 성당을 지키는
성화(聖畵)에서 예수가
백성을 굽어보듯
오욕의 세상을 정화하고
내 눈에 비친 위선과 자만을
순식간에 태웠다

비로소 다시 태어난 나!

눈길

첫발을 떼어 볼까
잠시 망설이다 돌아선다
함부로 넘어질 수 없는 나이이기에
뽀드득 소리는 귀를 간질이고
폭 액정 위에 살포시 앉은
솜뭉치 같은 눈꽃은
만져 볼 새도 없이 자취를 감춘다
아무도 가지 않은 눈길을
걸어가는 나는
평온의 파괴자

벚꽃

소리도 없이 올해도 피었네
봄이 온 줄도 모르게
어느날 덜 춥다 느껴질 때
그제서야 바삐 움직인다
봄부터 꽃송이 틔우려고
치열하게 견뎌냈을 시간의 무게들

아주 잠깐 선물처럼 왔다가
바람에 날리면 더는 감당할 수 없어
한꺼번에 쏟아내는 대폭발의 향연
신발에 밟혀 쓰러져 간 꽃잎들의
신음소리가 들리는 듯하여
마음을 무겁게 짓누르네

윤슬

사람 이름인 줄 알았다
비련의 여주인공처럼
가녀린 자태
청순미 가득한
여인의 이름

그리고 보았다
수면 위를 수 놓던
빛나는 보석같은
반짝임의 무리

물따라 흘러간다
물 속에서
불꽃놀이를 하듯

나중에 알았다
물결 위에서
햇빛을 머금은
찬란한 실체를

바로

순우리말

윤슬이었다

눈(雪)이 눈(目)을 만났을 때

소리없이 내린다.
고요하지만 강하게 대지를 적신다
어쩌면 미세먼지를 정화시켜 주려는 정화수일수도
어쩌면 사랑하는 이를 떠나보낸 눈물일지도
어쩌면 더러운 세상이 싫어 육신을 던져버리는 선지자의 영혼
일수도

하염없이 내리는 눈을 피할 길 없는 까마귀는
제 몸 하나 가릴 이파리 한 장 남지 않은
헐벗은 은행나무 가지에 기대어
꽁지깃만 까딱거리다
이내 날아가고 없다

눈(雪)을 바라보는 눈(目)은
까마귀가 떠난 자리를 찾은 까치를 응시한다
1, 2, 3, 4, 5, 6, 7, 8, 9, 10……
같은 나무인데 까치는 꽤 오래 머문다
마치 눈(雪)을 부리로 찍으며 눈(雪) 물을 먹듯
눈(目)이 아픈 나는 이내 시선을 거둔다

도서관

이야기 보관소
들려 줄 이야기는 많은데
듣는 사람은 소수

꺼내어진 이야기들은
쾌락과 고통의 감정 교환소
책과 사람이 노니는 곳

도예 장인이 힘찬 물레질로 흙덩이를 빚어내듯
작가들이 한 글자 한 글자 심어 놓은
글밭을 유영(游泳)하는 독서 여행

우리들의 아저씨

-故 이선균 배우를 추모하며

그가 떠난 지 4일이 지났다. 마지막 눈 감기 전까지 얼마나 고통스러웠을까. 나는 유가족도 팬클럽 회원도 아니다. 그는 극 중에서 고졸 비정규직의 이야기에도 귀기울일 줄 아는 마음 따뜻한 사람이었다. 출연한 작품 속 캐릭터가 그의 존재 자체를 의미하지 않더라도 그냥 그렇게 의사로, 요리사로, 검사로, 부장님으로 남아주길 바랐다. 어제 발인이었다. 그를 추모하는 사람들은 SNS에 그의 드라마 속 여러 다정한 얼굴을 올려두었다. 어떤 이는 몇 안 되는 그의 노래 부르는 영상이나 음성을 올려놓기도 했다. 예전에는 사람이 죽으면 그를 추모하기 위한 방송을 하기도 했는데, 추모조차 할 수 없는 사회. 두 번 다시 경험하고 싶지 않은 나라. 각자도생(各自圖生)을 꿈꾸는 나라. 우리들의 아저씨는 그런 나라에서 더 이상 버티기 힘들었다. 남겨질 가족들을 생각하면서 조금만 더 힘을 낼 수는 없었을까. 부디 홀연히 떠난 그 곳에서는 마음 편히 쉬시길 기원한다.

시(詩)

사랑하지만 늘 어려운
보고 있어도 보고 싶은
이 세상에 있는 것 만으로
살아가는 이유
너는 내게 그런 존재

온갖 아름다운 단어를 나열하는 것으로도
결코 완벽하게 정의할 수 없는 너
그냥 열심히 만든 나의 언어들은
네 앞에선 그저 웃음거리가 될 뿐

언제 제대로 한 번 널 향한
내 마음 들여다 보기라도 했니?

고래의 꿈

고래는 어떤 꿈을 꿀까.
고래 빵
돌고래 쇼의 주인공
드라마 속 우정출연
고래 책방

고래가 원한 건 따로 있지
푸른 바다에서
거친 파도를 가르며
자유롭게 살아가는 것

나와 같은 꿈

나는 올빼미입니다

낮 동안 모아 둔 에너지를
밤이 되면 한 조각씩
꺼내어 쓴다

크고 동그란 두 눈에 담긴
깊은 슬픔

두 눈 부릅 떠 보지만
아침을 이겨낼 수는 없다

끝

이제 모든 것이 사라져 간다
그 순간 늘 찾아드는 허무함
아!
왜 허무함과 끝은 마치
자석처럼 한 몸 일까
이 필연적 물음은
끝과 허무함을 맺어주는
매듭이다